KB183793

구해줘, 글쓰기 (02)

1차시

스마트폰 중독,
스몸비를 아시나요?

횡단보도를 건너거나 버스, 지하철 승하차 시 스마트폰을 들여다보는 사람이 늘고 있다.

스마트폰 삼매경에 빠져 주변을 의식하지 못해 일어나는 사고가 증가했다.

이로 인한 사고의 심각성을 이해하고, 방지할 수 있는 방안이 무엇일지 고민해보자.

교과연계 중등 기술가정 1, Ⅳ.기술의 세계, 6. 행복을 지키는 기술의 안전한 이용

memo

청소년 스마트폰 중독, 갈수록 심해져

● 누가 스마트폰 중독에 취약한가

'스마트폰 중독'은 현대인의 신종 후유증이다. 국내에서도 잠시도 스마트폰을 손에서 놓지 못하는 스마트폰 중독 증상을 '질병'으로 다루기 시작했다. 고려대 정세훈 미디어학부 교수팀은 성인 남녀 250명을 대상으로 '스마트폰 중독의 예측 요인과 이용 행동'에 대해 연구했다. 이에 따르면 새롭고 자극적인 콘텐츠를 선호하는 '감각추구 성향'이 스마트폰 중독에 크게 영향을 미친다고 한다. 이런 성향은 다양한 콘텐츠에 관심을 갖도록 유도해, 스마트폰 의존 혹은 중독적인 사용을 유발하는 것으로 나타났다.

특히 흥미로운 결과는, '자기효능감'이 낮은 사람일수록 스마트폰 의존도가 강하게 나타난다는 점이다. 자기효능감이란 어떤 문제를 스스로 해결할 수 있다는, 자기 자신에 대한 신념이나 기대감을 뜻한다. 삶이 따분하거나 스트레스가 심하고, 자신의 정체성이나 자존감이 부족한 경우 스마트폰에 중독될 확률이 높다. 특히나 청소년들은 아직 자아 형성이 완벽하지 않은 상태라 스마트폰 중독에 취약할 수밖에 없다.

● 청소년 스마트폰 중독, 방치해선 안 돼

청소년들의 스마트폰 의존도가 갈수록 심각해져 큰 문제다. 2021년 5월 여성가족부가 발표한 '2021년 청소년 인터넷 · 스마트폰 이용습관 진단조사'를 보면, 초등4, 중1, 고1 학생들의 인터넷 · 스마트폰 과의존 위험군이 22만 8천 명으로 집계됐다. 과의존 학생의 증가도 문제지만 초등학생 증가세가 높아 큰일이다. 더구나 스마트폰을 사용하는 연령대가 점점 낮아지는 추세라 과다 사용과 중독에 대한 우려가 확산되고 있다. 최근에는 스마트폰을 휴대하지 않은 경우 극심한 불안증세가 나타나거나 폭력적인 행동을 보이는 등 폐해도 커지고 있다.

전문가들은 청소년의 스마트폰 중독을 막기 위해 대안활동을 마련하고 전문가 상담을 늘려가야 한다고 조언한다. 특히 부모와의 관계가 소원하거나 주변환경에 적응하기 어려워하는 청소년들이 스마트폰 중독에 빠질 가능성이 높고, 이럴 경우 단순히 스마트폰을 금지시키는 것보다 주변 사람들에 대한 애착과 정서적 안정감 부여로 자아 존중감을 높이는 노력이 병행되어야 한다.

읽기자료 〈1〉

스마트폰 중독,
스몸비를 아시나요?

버스나 지하철 안은 물론 거리에서도 스마트폰 삼매경에 빠진 사람이 많다. 그 모습이 마치 걸어다니는 좀비와 닮아 스마트폰과 좀비를 합쳐 'ㄱ스몸비(Smombie)'라고 부른다.

스마트폰에 빠져 주변을 의식하지 않고 걷는 보행자로 인해 아찔한 사고가 이어지고 있다. 스마트폰 때문에 발생한 교통사고만 해도 지난 5년간 3배 이상 급증했다. 설상가상 2016년 말 한국에 상륙한 증강현실 게임 '포켓몬고' 붐이 일면서 스몸비는 물론이고 보행자 교통사고도 더 늘어나는 추세다.

스마트폰을 보며 걸으면 얼마나 위험할까. 도로교통공단의 '보행 중 음향기기 사용이 교통안전에 미치는 영향 연구'에 따르면, 음악을 듣거나 스마트폰을 보며 길을 걷는 보행자는 횡단보도를 건너는 평균 속도가 초속 1.31m이다. 이는 일반 보행자가 주위를 살피며 건너는 속도(평균 초속 1.38m)에 비해 늦다. 뿐만 아니라 경적소리 같은 주변 소리에도 둔감해 사고 위험이 높을 수밖에 없는 상황이다.

한편 최근 어릴 때부터 스마트폰에 중독된 어린이들, 'ㄴ스몸비 키즈'가 등장하고 있다. 2017년 5월 4일 현대해상 교통기후환경연구소가 서울시 초등학생과 학부모를 대상으로 한 '어린이 생활안전 설문조사'에 따르면, 평소 스마트폰을 자주 사용하는 초등학생이 스마트폰을 사용하지 않는 쪽보다 보행 중 사고를 당할 위험이 4배나 높은 것으로 나타났다. 박성재 연구원은 "평소 스마트폰을 많이 사용하는 어린이는 보행 중에도 사용하는 비율이 높게 나타나기 때문에 보행 중 스마트폰 사용의 위험성을 교육하고 적절한 사용법을 지도

할 필요가 있다"고 지적했다.

스몸비 키즈의 등장은 부모의 스마트폰 사용과 깊은 연관이 있다. 부모가 스마트폰 중독이 아니더라도, 공공장소에서 아이들을 조용히 시키기 위해 스마트폰 영상을 보여주는 경우가 비일비재하기 때문이다. 전문가들은 어린아이의 스마트폰 중독은 주변에 민폐일 뿐 아니라 아이의 정서나 지능 발달에도 해가 된다고 지적한다. 또 부모가 스마트폰에 과도하게 의존할 경우 아이도 일찍 스마트폰에 중독될 위험이 높다고 지적한다.

2016년 서울시에서 ⓒ스마트폰 안전사고를 막기 위해 유동인구가 많은 250곳의 바닥에 '보행중 스마트폰주의' 등의 보도부착물을 부착했지만, 보행자, 이륜차 등의 통행으로 훼손되었다. 이에 서울시는 내구성이 입증된 영구적 안내시설로 바닥 부착물을 대체하는 방안을 논의할 예정이다. 또한 서울시교육청, 서울지방경찰청과 협조해 영상물 등을 활용한 관련 홍보를 강화할 계획이다. (2017년 6월)

Focus Plus

01 코리안 범프(Korean Bump)

스마트폰을 보느라 마주 오는 사람을 발견하지 못하고 서로 어깨를 부딪힌 경험이 있을 것이다. 이러한 현상을 두고 '어깨빵'이라는 신조어까지 생겼다. 조선일보와 한국소비자원이 만 15~60세 스마트폰 사용자 1000명을 대상으로 설문 조사한 결과, 361명이 '스마트폰을 보며 걸어오는 사람과 하루에 한 번 이상 부딪힌 적이 있다'고 답했다. 대략 세 명 중 한 명이 어깨빵을 경험한 셈. 어깨빵은 싸움의 원인이 되는 건 물론이고, 계단 난간에서 넘어져 중상으로 이어진 경우도 있다.

외국인들은 어깨빵을 '부딪치다'는 의미의 범프(bump)와 한국인(Korean)을 합쳐서 '코리안 범프(Korean Bump)'라고 부른다. 스몸비 증가는 전 세계적인 현상이지만, 어깨빵은 한국인들 사이에서 일어나는 일이라는 의미를 담고 있다. 외국에서는 서로 어깨를 부딪히면 사과의 인사를 나누는 게 보통인데 한국에서는 대부분 그냥 지나치기 때문에 이런 부끄러운 말이 생겨났다.

02 음주운전만큼 위험! 운전 중 스마트폰

운전 중 스마트폰 사용은 그야말로 '지옥행 급행열차'다. 운전 중 스마트폰을 이용하면 교통사고 발생 가능성이 20배 이상 증가한다. 전방 주시율이 현저하게 떨어지는 건 물론, 집중력과 순발력 또한 크게 낮아져 제동거리가 2배 가까이 차이 난다. 이와 관련한 실험을 통해 다음과 같은 사실이 드러났다. 빨간 불을 인식하고 차가 정지할 때까지의 거리를 보면, 일반적으로 달릴 때는 약 23미터, 전화할 때는 약 41미터, 문자 보낼 때는 약 60미터로 나타났다.

2012년부터 미국의 자동차사고 발생이 증가 추세로 나타났는데, 보험업계는 그 원인으로 스마트폰의 보급을 들었다. 4월 18일, IT매체 〈나인투파이브맥〉은 미국안전협회의 최신 보고서를 인용해 2016년 미국 교통사고 사망률이 전년 대비 6%, 부상은 7% 증가했다고 밝혔다. 〈나인투파이브맥〉은 그 원인으로 운전 중 스마트폰 이용이 늘어난 것을 꼽았다. 미국의 최대 자동차 보험회사 '스테이트 팜'의 조사 결과, 운전 중에 문자 발송을 한다는 응답자는 2009년 31%에서 2015년 36%로 증가했다. 운전 중 인터넷에 접속한다는 응답도 13%에서 29%로 급증했다.

미국뿐 아니라, 우리나라에서도 최근 ⓡ운전 중에 스마트폰을 사용하는 이들이 적발되고 있다. 보행자와 달리 운전자들에게는 현행 도로교통법 제49조 제1항 10조 및 시행령에 따라 범칙금 6~7만 원에 벌점 15점이 부과된다.

'보행 중 스마트폰 위험' 안전표지판이 생긴다

현대해상 광고에 이런 장면이 나온다. 등굣길에 스마트폰을 하던 아이 두 명이 미처 서로를 보지 못해 머리를 부딪친다. 둘은 웃고 말지만, 현실에서 이런 일이 벌어진다면 '첫눈에 반한' 사람들이 아니고서야 멱살잡이하기 딱 좋은 상황이다.

보행 중 스마트폰으로 인한 사고가 어디 한둘이랴. 이를 막기 위해 스마트폰을 보며 길을 걸어가면 위험하다고 경고하는 교통안전표시가 마련됐다. 또한 스마트폰을 보느라 주위를 둘러보지 않는 보행자들에게 위험을 경고하기 위한 안내문이 바닥에 부착된다. 서울시와 경찰청은 2016년 6월 16일, 젊은층이 많이 다니고 교통사고가 잦은 강남역, 홍대 앞, 연대 앞, 잠실역, 서울시청 앞 등 5개 지역에 '보행 중 스마트폰 위험'이라 적힌 교통안전표시 50개와 '걸을 때는 안전하게'라고 적힌 보도부착물 250개를 시범 설치하겠다고 밝혔다. 교통안전표시는 신호등과 가로등에 설치되고, 보도부착물은 보행자가 많은 보도 바닥에 부착된다. 서울시는 연말까지 시범사업을 진행하며 보행형태 변화와 보행자 사고 건수, 시민반응 등을 살펴보고, 그 결과에 따라 정식 교통안전시설물로 지정하는 방안을 경찰청과 검토할 예정이다.

이번 시범사업은 스마트폰으로 인한 보행자 교통사고가 급증한 데 따른 것이다. 한국방송통신위원회에 따르면 국내 스마트폰 보급률은 2010년 3.8%에서 2015년 78.8%로 급증했고, 특히 10대~30대의 60% 이상이 TV보다 스마트폰을 필수적인 매체로 인식하고 이용하는 것으로 조사됐다. 하지만 스마트폰으로 인한 사고 위험에 대한 인식은 미비한 상황이다. 교통안전공단 조사결과 스마트폰으로 인한 보행자 교통사고는 2009년 437건에서 2014년 1111건으로 5년 새 약 2.5배 증가한 것으로 나타났다.(2016년 07월)

Focus Plus

01 스몸비에 이어 블좀족 등장

무선 블루투스 이어폰이 대세다. 이와 관련한 신조어가 생겼다. '블좀족'이 그것. 무선 블루투스 이어폰을 귀에 꽂고 걸어다니는 사람들이 마치 좀비처럼 무작정 걷는다고 해서 생긴 말이다. 이어폰 때문에 주변 소음에 둔감할 뿐만 아니라 동시에 스마트폰을 보는 경우도 있어서 사고 위험이 매우 높다.

더구나 블루투스 이어폰에 '노이즈 캔슬링(Noise Canceling)' 기능까지 장착돼 위험성이 더 커졌다. 노이즈 캔슬링은 외부에서 발생하는 소음을 상쇄하거나 감소시켜 이어폰에 흘러나오는 소리에 더 집중하게 하는 기술이다. 소비자를 위해 개발된 기술이지만 소비자를 위험에 빠뜨릴 수 있다.

삼성교통안전문화연구소가 2014년부터 2016년까지 국내 보험사의 데이터베이스를 토대로 최근 분석한 결과에 따르면, 주의 분산 보행 시 음악 청취, 통화 등 이어폰을 꽂고 보행하는 비율은 50.4%로, 문자전송 등 휴대폰 조작(40.9%)보다 월등히 높았다. 음악 청취나 통화는 스마트폰 조작을 하지 않아도 돼 보행자의 행위의 연속성을 차단하지 않는다. 그 때문에 음악 청취(17.1%), 통화(13.9%)를 하면서 무단횡단하는 비율(총 31%)이, 스마트폰을 조작하면서 무단횡단 하는 비율(14.2%)의 두 배에 달한다. 보행 중 이어폰 사용이 얼마나 위험한 일인지 경각심을 가져야 한다.

02 사진 찍다 중태… 무분별한 셀카도 위험해

셀카 사고 역시 안전 의식 없이 스마트폰을 이용하는 문화의 폐해다. 셀카를 찍다 죽음에 이르거나 부상을 당한 사고가 허다하다. 2015년 5월 러시아의 한 여성은 경비원이 사무실에 두고 간 권총을 발견한 뒤, 자신의 머리에 총을 대고 셀카를 찍다 실수로 방아쇠를 눌러 중태에 빠졌다. 같은 달 러시아의 다른 여성은 철도 다리 위에 올라가 셀카를 찍다 감전돼 사망했다. 잇따른 셀카 사고에 러시아 정부가 직접 셀카 금지 팸플릿을 제작해 배포했다.

이는 러시아만의 문제가 아니다. 스페인 세비야에서는 한 폴란드 관광객이 셀카를 찍다 다리 위에서 추락해 사망했으며, 미국에서는 경비행기 조종사가 비행 도중 셀카를 찍다 균형을 잃어 추락하는 사고가 있었다. 당시 사고로 조종사 본인은 물론 승객들도 모두 사망했다. 그런가 하면 66세의 일본인 관광객은 인도 타지마할에서 셀카를 찍다가 계단 아래로 떨어져 목숨을 잃었으며, 호주의 한 관광객은 노르웨이의 트롤퉁가 바위 위에 올라가 사진을 찍다가 추락사했다.

2015년 디지털 전문 웹사이트 '마셔블'은 셀카 사고로 사망한 사람들의 수가 같은 기간 상어에 물려 죽은 사람보다 더 많았다고 보도했다. 셀카를 찍다가 사망한 사람은 열두 명이었던 반면, 상어에 물려 죽은 사람은 여덟 명이었다. 이런 셀카 사고의 원인은 바로 안전 불감증. 여기에 SNS 인증 문화까지 곁들여져 위험성이 높아지고 있다.

냉철하게
분석하기

제시글을 읽고, 질문에 답하며 내용을 파악해봅시다.

(1) ㉠스몸비(Smombie)라는 신조어 출현의 배경과 문제점을 설명해봅시다.

----

(2) ㉡스몸비 키즈 등장의 배경과 부모의 스마트폰 사용은 어떤 연관이 있나요?

----

(3) 서울시에서 ⓒ스마트폰 안전사고를 방지하기 위해 취한 조치에 대해 설명하고, 효율성 및 개선방안에 대해 의견을 제시해봅시다.

----

(4) 외국의 경우처럼 우리나라에서도 ⓔ운전 중에 스마트폰을 사용하는 이들에게는 벌점 및 범칙금을 보행자와 달리 적용하고 있지요. 만약 부모님이 이런 경우에 해당된다면 여러분은 어떤 메시지로 사고 예방을 도울 수 있는지 내용을 적어보세요.

도전, 짧은 글쓰기!

'스몸비 현상'이 일으키는 문제들이 무엇인지 제시문(야무지게 읽기)에서 찾아 설명하고, 이밖에 발생할 수 있는 문제들은 무엇일지 자신의 의견을 적어봅시다. 통행 시 발생할 수 있는 안전사고를 막기 위한 서울시의 정책은 적절한지 따져보고, 다른 해결방안에 대해 의견을 제시해봅시다. (500자)

다음 빈칸에 알맞은 말을 〈보기〉에서 찾아 적어봅시다.

| 보기 | 삼매경 | 상륙 | 증강현실 | 비일비재 | 민폐 | 제동거리 |

(1) 장마 전선의 (   )으로 이번 경기의 개최 여부는 불투명하게 되었다.

(2) 그런 일은 동서고금을 막론하고 (   )하다.

(3) 영철은 자신을 부르는 소리도 듣지 못한 채 독서 (   )에 빠져 있었다.

(4) 최소한 이 일을 하면서 (   )를 끼치지 말아야 할 것이다.

(5) 몇 해 전, 모바일 게임 포켓몬고 열풍이 불었다. 이 게임은 (   )을 기반으로 했다.

(6) 젖은 노면의 경우 마른 노면에 비해 (   )가 길어져 주의가 필요하다는 지적
이 제기됐다.

위에서 익힌 어휘 중 3개를 골라서 한 문장씩 만들어 봅시다.

(1)

(2)

(3)

아자아자
깊이읽기

스몸비,
어떻게 막을 수 있을까?

보행자, 다양한 방식으로 위험 감지시켜야

전문가들은 스몸비에서 벗어나기 위해서는 인식의 전환이 필요하다고 말한다. 인식의 전환이란 스마트 기기 사용이 얼마나 자신에게 해가 될 수 있는지 깨닫게 하는 것이다. 이수일 현대해상 교통기후환경 연구소 박사는 "보행 중이나 이면도로와 같은 위험한 도로에서 스마트폰을 사용할 때 이를 명확하게 인지시켜 줄 수 있는 방안이" 필요하다고 말했다. 넛지(Nudge)라는 말이 있다. 슬쩍 찌르다, 주위를 환기시키다는 뜻의 영어 단어. 이수일 박사는 "슬쩍 뭔가 알려주는 넛지처럼 아이디어 차원에서 시설물 설치"도 가능하다고 설명했다. 스마트폰 이용자에게 당신이 지금 위험한 상황에서 스마트폰에 집중하고 있음을 알려줘 경각심을 느끼게 해줄 필요가 있다.

구글은 스몸비 발생을 줄이기 위해서 간단하지만 창의적인 해결책을 내놓았다. '고개를 드세요!'(Heads up!) 앱이 그것. 이 앱을 설치할 때, 위치 정보와 물리적 활동 정보를 선택하면 사용자의 동작을 감지한다. 만일 사용자가 스마트폰을 조작하면서 동시에 보행 중일 때, 경고 알림을 띄운다.

'스마트폰 NO!' 제도적으로 강제성 부여

스마트 기기 사용에 대한 경각심을 일깨우는 것만으로는 스몸비 관련 사고를 줄이는 데 한계가 있다. 장택영 삼성교통안전문화연구소 박사는 "가장 중요한 것은 의식 개선이지만, 직접 행동변화로 이어져야 효과가 있는 만큼 처벌이나 강제적 조치도 고려해 봐야 한다"고 주장한다. "위험성이 높은 횡단보도나 버스, 지하철 승하차 시에 스마트폰 사용을 제한하는 규정을 만드는 것도 하나의 방법"이다.

실제로 국가나 지방자치단체 차원에서 보행 중 휴대전화 사용을 금지한 경우도 있다. 미국 하와이주 호놀룰루시는 2017년부터 '산만한 보행 금지법'을 시행, 도로를 건너는 보행자가 모바일 기기를 보는 행위를 금지했다. 일본 가나가와현 아야마토시 경우, 2020년 6월, 보행 중 휴대전화 사용 금지 조례를 시행했다.

이와 같은 강력한 사용금지 조치보다 조금 유연한 대책을 도입한 곳도 있다. 미국 워싱턴DC와 중국 충칭시에서는 스마트폰 사용 전용 보행도로를 설치했다. 서울시는 바닥에 보행자 움직임을 감지하는 '스마트 신호등'을 설치하거나 '걸을 땐 앞만 보세요' 같은 표지를 설치했다.

2차시

피카소와 신천 민간인 학살 사건, 이념 대결이 낳은 비극

세계적인 화가 피카소의 작품 중에 '한국에서의 학살'이 있다.

피카소가 한국에 대해 그림을 그렸다니 놀랍다. 그는 왜 이런 그림을 그렸을까?

이 작품을 연결고리로 1950년 황해도 신천군에서 일어난

민간인 학살 사건에 대해 알아보자.

교과연계 고등 한국사 Ⅳ. 대한민국의 발전, 4. 통일 정부 수립을 위한 노력

● 스페인 내전

1936년 2월 스페인 총선에서 미누엘 아사냐가 이끄는 좌파 진영이 승리, 인민전선 내각이 들어선다. 그러자 우파 진영은 이대로 가면 러시아처럼 공산주의 혁명이 일어날 수 있으니 이를 막기 위해 군사행동을 일으켜야 한다고 주장했다. 우파 진영의 프랑코 장군은 마침내 쿠데타를 일으켜 스페인 내전이 촉발됐다. 스페인 내전은 2차 세계대전의 전초전 같았다. 소비에트 연방(이하 소련)이 인민전선을 지원하고 파시스트 진영인 나치 독일, 이탈리아, 포르투갈이 프랑코를 지원한 것. 스페인 내전은 1939년 4월 프랑코의 승리로 끝이 났는데, 이 내전으로 스페인 전역이 초토화되었다.

● 냉전(冷戰, Cold war)

제2차 세계대전 후부터 1991년까지 미국과 소련 연방을 주축으로 양측 동맹국 사이에서 갈등, 긴장, 경쟁 상태가 이어지며 대립한 시기를 말한다. 주로 미국과 소련 간의 긴장 상태를 뜻하는 말로 쓰인다. 무기를 들고 싸운다는 의미의 전쟁인 열전(熱戰)과 달리 직접적인 충돌은 없다. 그러나 두 세력은 군사 동맹, 핵무기, 우주, 군비 경쟁을 벌였고, 첩보전과 대리전을 치르는 등 날카롭게 대립했다. 냉전체제는 1990년 막을 내렸다.

● 분단

1945년 제2차 세계대전이 종결되면서 일본이 물러났지만 한반도에는 아직 자주적인 정부가 수립되지 못했다. 이 시기 미국과 소련은 한반도의 안정을 위한다는 이유를 내세워 북위 38도선을 경계로 한반도를 둘로 나눠 주둔했다. 남한에는 미군이, 북한에는 소련군이 진주한 것. 이후 한반도는 통일 정부 수립을 위해 많은 노력을 기울였지만, 모두 실패로 돌아갔다. 이에 1948년 5월 10일 UN의 감시 아래 총선거를 실시, 8월 15일 대한민국 정부가 수립됐고, 북한에서도 같은 해 9월 9일 김일성을 수상으로 선출, 조선 민주주의 인민 공화국을 수립했다. 한반도의 분단은 그날 이후 지금까지 이어지고 있다.

● 미군정(美軍政)

1945년 조선은 일제 식민지로부터 해방됐다. 해방 당시 조선은 아무 준비가 돼 있지 않은 상태였다. 해방 이후 1945년 9월 8일부터 1948년 8월 15일 남한의 단독정부 수립까지 3년 동안 미군이 통치한 시기를 미군정이라고 부른다. 당시 미국은 대한민국 임시 정부와 조선 인민 공화국을 모두를 부인했다. 미군정 시기에 미국은 일제의 식민 통치 기구를 비롯해, 조선총독부 관료와 경찰을 이용, 남한을 통치했다.

● **국가보안법**(國家保安法, National Security Act)
국가보안법은 '국가의 안전을 위협하는 반국가적인 활동을 규제하여 국민의 생존 및 자유를 확보'하기 위한 것이다. 대한민국 정부 수립 몇 달 후인 1948년 12월 1일 공포했다. 그러나 국가보안법은 처음 만들어졌을 때부터 많은 문제점을 안고 있었다. 무엇보다도 국가 안전을 내세워 정권의 안정을 도모했다는 점이다.
이 법이 제정된 것은 1948년 10월 9일 여순 사건과 관련이 깊다. 여순 사건은 당시 여수에 주둔한 일부 군인이 제주도 4 · 3사건 진압 출동을 거부하고, 남한만의 단독정부 수립이 영구적인 분단을 초래할 수 있다며 항명(명령에 따르지 않음)한 사건이었다. 이승만 정권은 이 사건을 빌미로 남한의 좌익 세력을 제거하고자 국가보안법을 만들었다. 또한 일제시대 독립운동가를 짓밟던 악명 높은 치안유지법과 보안법을 토대로 만든 것도 문제였다. 이후 국가보안법은 오랫동안 정권에 반대하는 세력을 억압하는 수단으로 쓰여왔다. 이 과정에서 국가안보를 내세우며 개인의 인권과 자유를 무수히 침해한 탓에 지금까지도 존폐 논란이 계속되고 있다.

● **입체파**(立體派, cubism)
20세기 초 프랑스 파리에서 일어난 미술운동.
사물의 구조를 입체적으로 나타내려 했다. 3차원 사물을 2차원의 화폭에 담으려고 하니 입방체가 많아 입체파라 불렸다.
입체파 작품의 특징은 ①사실주의적 전통 원근법, 명암법, 인상적 색채, 감정적 표현을 멀리하고 자연의 여러 가지 형태를 입체 조각으로 표현하며, ②사물의 본질을 표현하기 위해 한 방향이 아닌 여러 방향에서 본 사물의 모습을 조합하려 했다. 또한 ③신문, 잡지 등 다양한 재료로 콜라주를 했다. 대표적인 작가로 파블로 피카소가 있다.

피카소와 신천 민간인 학살 사건, 이념 대결이 낳은 비극

[1] 그림 그리기 좋아하는 하늘이, 바다가 피카소라는 화가를 모르지는 않겠지?

그래, 전통적인 회화 기법인 원근법이나 명암 따위를 무시하고, 그리고자 하는 대상을 철저히 분해해 여러 측면을 동시에 묘사하는 입체파 화가로 유명하지. 스페인에서 태어났지만 주로 프랑스에서 활동했는데, '게르니카'라든지 '아비뇽의 처녀들' 같은 작품이 그의 손꼽히는 대표작이야. 특히 '게르니카'(1937년)는 조국 스페인 내전 당시 독재 권력인 프랑코를 지원하는 독일군의 공격으로 지방의 소도시 하나가 폐허가 되고, 도망치는 주민들이 무자비하게 학살되는 사건을 벽화로 그린 작품인데, 가혹한 정치에 대항하는 저항의 상징처럼 여겨지고 있어.

세계의 많은 지식인들이 이 그림을 통해 스페인의 상황을 접하고, 독재에 저항하기 위한 총을 들었다고 해서 더욱 유명해진 그림이기도 해. ㉠펜은 칼보다 강하다, 아니, 붓은 총보다 강하다는 걸 여실히 보여준 사례라고 할 수 있겠지.

우리나라 역사를 얘기하는 자리에서 웬 피카소 타령이냐고? 다 이유가 있지. 자, 오늘 얘기는 피카소의 그림 한 점을 보면서 시작하는 걸로 하자.

총과 칼을 든 것으로 보아 군인인 모양인데, 군인들이 발가벗은 채 아무런 무기도 가지지 않은 여자와 아이들에게 무기를 겨누고 있어. 심지어 배 속에 아이를 가진 것으로 보이는 여자도 있어. 품에 안겨 있는 갓난아이는 울음을 터뜨리고, 엄마 뒤로 숨으려는 아이들의 얼굴에는 놀란 기색이 역력해. 아마도 저 군인들은 저항도 하지 못하는 여자들과 아이들을 죽이려나 봐. 군인들을 마치 로봇처럼 표현한 것은 인정머리도 없는 철면피한이라는 의미일는지도 모르겠어.

어때, 살벌하지? 만일 하늘이랑 바다가 이 작품에 이름을 붙인다면 뭐라고 하겠니? 아마 어떤 제목을 붙인대도 '공포' '죽음' 같은 단어가 들어가지 않을 수 없겠지? 그래, 이 작품의 제목은 놀랍게도 '한국에서의 학살(Massacre en Coree)'이야.

세계적인 화가 피카소가 한국에 대해 그림을 그렸다는 사실이 우선 놀랍지 않니? 그럼에도 불구하고 이 작품은 ⓒ아주 오랫동안 우리나라에 알려지지 않았어. 작품이 완성된 1950년대부터 1980년대까지 이적표현물로 분류돼서 우리나라에 들여와 전시를 할 수 없었던 건 물론이고 언론을 통해서도 소개된 적이 없어. 피카소가 프랑스 공산당원이었다는 이유도 있었지만, '전쟁의 폭력성과 잔혹함'을 고발하려고 한 이 작품의 소재가 1950년에 일어난 한국전쟁, 좀 더 구체적으로 말하면 황해도 신천 일대에서 벌어졌던 ⓒ신천 민간인

파블로 피카소, '한국에서의 학살', 1951

학살 사건을 소재로 하고 있기 때문이야.

[2] 지금까지 알려진 신천 민간인 학살 사건을 한마디로 말하면, 북진하던 미군이 황해도 신천군에서 3만 5000여 명의 민간인을 학살한 사건이야. 세계평화의 수호자로 자임하는 미국이 민간인을 학살했다? 이러한 사실은 미국으로부터 경제적·군사적으로 큰 혜택을 입고 있는 우리 정부로서는 인정하기 어려운 일이었을 거야. 만일 그런 일이 일어났다고 하더라도 덮고 넘어갈 수밖에 없는 입장이었을 테지. 따라서 피카소의 이 작품이 대중에게 알려지는 것이 얼마나 껄끄러웠겠니. 그래서 40여 년 가까이 이 작품의 존재는 물론 언급조차 금지해 왔음을 추측할 수 있어.

여담이지만 이런 일도 있었어. 1969년 6월 9일에 중앙일보에 실린 기사야.

ⓔ"서울지검 공안부 김종건 검사는 피카소 크레파스, 피카소 수채화 물감 등의 이름으로 상품을 만들어온 삼중화학공업 대표 박정원 씨를 반공법 위반 혐의로 입건하고 그 회사 제품의 광고를 중지시켰다."

반공법이란 지금의 국가보안법이랑 비슷한 거라고 보면 돼. 문제는 피카소라는 이름이 들어간 물감이나 크레파스를 만들어도 중죄가 되었다는 거야. 이쯤 되면 가히 피카소 콤플렉스라고도 할 만한데, 그만큼 공산주의자라고 하면 '괴물'이거나 '머리에 뿔이 난 사람' 취급을 하던 시절도 있었단다. 뭐 지금도 '종북'이라거나 '빨갱이'라는 단어로 자신과 생각이 다른 사람들을 매도하는 일이 다반사로 일어나는 세상이니까 그다지 대수로운 일도 아니겠다만, 아무리 이념으로 나뉜 분단국가라고 하더라도 엄연히 사상의 자유가 헌법으로 보장된 나라에서 너무 예민하게 구는 것은 아닌지 모르겠다.

자, 다시 신천 민간인 학살 사건으로 돌아가 보자. 아빠가 애초에 이 사건은 미국에 의해 저질러진 민간인 학살이라고 했지만, '지금까지 알려진'이라고 단서를 단 이유가 있단다. 분명한 것은 아직도 이 사건의 가해자가 누구인지 명확한 증거나 정황이 없기 때문이지.

[3] 미군에 의한 학살사건이라는 것은 일단 북한의 주장이야.

"한국전쟁 중, 서울을 탈환한 미군들이 38선을 넘어와 10월 17일부터 12월 7일까지 52일 동안 신천군 주민의 4분의 1에 해당하는 3만5,383명의 무고한 양민을 잔인하게 학살했다. 이는 '해리슨'을 중대장으로 하는 미군 1개 중대에 의해 저질러진 만행이다."

공산주의 계열의 비정부기구인 국제민주법률가협회(International Association of Democratic Lawyers)가 1952년 3월에 발표한 '코리아에서의 미군 범죄에 관한 보고서'에서도 북한의 주장과 비슷한 기록이 있어.

1950년 12월 7일, 미군이 철수하기 직전, 해리슨 신천군 미 점령군사령관은 그의 휘하에 있던 미군 부대와 이승만의 원군 장교들에게 '철수는 일시적이며 전략적 이유에 따른 것'이라 말하고 '주민들에게 미군과 함께 남쪽으로 내려갈 것'을 지시하라고 명령했다.

"남아 있는 자는 모두 실질적 적으로 간주할 것이며 원자폭탄이 투하될 것이다." 그는 모든 '빨갱이' 지지자들을 섬멸할 것을 지시했다. 모든 인민군 병사의 가족들과 부역자 가족들은 빨갱이로 간주되었다. 그의 명령은 그대로 실행되었다. 그날 신천군 원암리의 창고 두 군데에서 900명의 남녀 학살이 발생했다. 건물 안에는 어린아이들도 200여 명 있었다.

미군들은 이들의 옷에 휘발유를 뿌리고 불을 질렀다. 그리고 창문 안으로 수류탄을 집어던졌다. 건물 안에 있던 한 여성이 자신의 두 아이를 창밖으로 밀어냈다. 한 아이는 총에 맞았지만 한 아이는 도망쳤다. 어머니는 불에 타 죽었다. 해리슨과 다른 장교들이 그 자리에 있었다.

[4] 물론 우리나라의 주장은 이와 반대지.

"무고한 양민을 학살하는 노동당과 인민군에 대항한 우파 지하조직과 신천군민의 저항이며 반공투쟁 사건이다."

이 말을 좀 더 설명하자면 이래. 광복 직후부터 평야지대였던 이곳은 지주와 소작인의 갈등이 심한 곳이었어. 그런데 1946년 북조선임시위원회가 설치되고 무상몰수 무상분배의 원칙에 따른 토지개혁이 시작되면서 우익계열의 청년들은 대부분 대한민국으로 탈출을 하거나 지하로 숨어들었지. 그러다가 전쟁이 나고 열세에 있던 국군이 인천상륙작전을 통해 전세를 역전한 뒤 북진을 하자, 숨어 지내던 청년들은 물론이고 탈출했던 청년들도 유엔군보다 먼저 이곳에 들어와 반공청년단을 꾸렸다는 거야. 물론 이 반공청년단은 이승만 대통령의 추인까지 받은 단체지. 그리고 이들이 지역의 좌익계열 활동가들을 공격했어. 물론 희생당한 사람들 중에는 좌익도 우익도 아닌, 아무런 죄가 없는 민간인도 포함되었다는 게 문제라면 문제였던 거지. 따라서 신천양민학살사건을 보는 대한민국의 시각은 좌우의 이념 대결 때문에 생긴 우익 반공청년단의 좌익척결이라고 정리할 수 있어.

또 다른 시각도 있는데, 그건 소설가 황석영이 《손님》이라는 소설에서 주장하는 바야. 이 소설은 1989년에 작가가 신천을 직접 방문한 경험과 1990년대 중반 미국에서 신천사건과 관련된 사람을 만난 경험을 바탕으로 쓴 것인데, '손님'이란 기독교와 마르크스라는 두 '외래 손님'을 의미해. 이 두 외래 손님에 물든 사람들, 즉 마르크스주의자인 좌익계열 사람들과 기독교를 믿는 반공주의자들이 점령군이 바뀔 때마다 서로 피를 보는 악순환을 거듭했고, 그것이 곧 '신천민간인학살사건'이라는 거지.

어찌되었든, 누가 죽였든, 군 단위의 작은 마을에서 3만 5000여 명이 죽은 것은 사실이야. 전쟁에 참여한 군인도 아니면서 이렇게 억울하게 죽어간 민간인이 전국을 통틀어 10만~20만 정도로 추정될 정도야. 이게 전쟁의 민낯이지. 생각만으로도 끔찍하지 않니?

한 해가 다 가는 마당에 아빠가 이런 추악하고 처참한 전쟁의 뒷얘기를 하는 데는 다 이유가 있어. 얼마 전부터 12월에 전쟁이 일어난다며 국민들을 불안에 떨게 하는 사람들이 생겼거든. 이들은 남침용 땅굴이 10여 개나 있고, 그 중에는 청와대 지하까지 연결된 것이 있는데 정부는 뭐하는 거냐고 항의까지 하는 실정이야. 국방부가 나서서 아니라고 해도 믿으려 들지를 않아. 심지어 청와대에도 북한과 내통하는 세력이 있다고 얼토당토않은 주장을 하니, 아빠 눈에는 정부가 얼마나 신뢰를 잃었으면 이 지경에 이르렀을까 싶기도 하고, 나아가 이들이 지나친 안보염려증에 걸린 환자가 아닌가 싶을 정도란 말이지.

오늘의 결론. 전쟁은 절대 일어나서는 안 되는 비극이야. 전쟁에 참여하는 군인들뿐 아니라 지금껏 얘기했듯이 서로 상대방을 적이라고 생각하는 민간인들끼리도 서로 죽고 죽이는 참상이 벌어질 게 뻔하거든. 그 희생의 대상은 여자고 아이고 노인이고 구별이 없어.

　자, 오랜만에 숙제를 하나 내볼까? 남과 북이 갈라져 있는 우리나라에서 전쟁이 일어나지 않으려면 어떻게 해야 할까? 나라의 운영을 책임진 대통령의 편에서, 국민의 대표라는 국회의원의 편에서, 또 국민의 편에서, 그리고 하늘이랑 바다 같은 학생의 편에서 한 번 생각해봐. 생각이 정리되면 그때 아빠랑 다시 얘기해보자.

냉철하게
분석하기

<u>제시글을 읽고, 질문에 답하며 내용을 파악해봅시다.</u>

(1) 피카소의 '게르니카' 같은 작품은 왜 ㉠펜은 칼보다 강하다라는 말을 여실히 보여준
사례라고 할 수 있나요?

(2) '한국에서의 학살(Massacre en Coree)' 이라는 작품이 ㉡아주 오랫동안 우리나라에 알
려지지 않았어라고 했는데, 그 이유는 무엇이었나요?

(3) ㉢신천 민간인 학살 사건의 내용을 간략히 요약해보세요.

----

(4) ㉣의 이유가 되는 부분을 [3]문단에서 찾아 정리해보세요.

----

(5) ㉢신천 민간인 학살 사건에 대한 북한의 주장과 우리나라의 주장이 다른 이유는 무엇이라고 생각하나요?

거침없이 **쓰기**

도전, 짧은 글쓰기!

피카소의 그림 '한국에서의 학살'을 큐레이터가 되어 소개해 봅시다. 그림의 배경과 '신천 민간인 학살 사건'을 연결지어 내용을 구성해보세요. (500자)

든든하게
어휘다지기

다음 빈칸에 알맞은 말을 〈보기〉에서 찾아 적어봅시다.

보기						
	폐허	가혹	철면피한	이적표현물	자임	여담
	매도	다반사	정황	섬멸	부역	간주
	열세	추인	참상			

(1) 이 안건은 어쨌든 형식적이지만 국무회의 (   )을 받아야 한다.

(2) 폭격으로 무너진 건물의 (   ) 위에는 잡초만 무성했다.

(3) 김 과장은 사장의 오른팔 역할을 (   )했다.

(4) 그는 말만 번지르르하고 양심은 없는 (   )이다.

(5) 그는 잠시 후 핵심에서 벗어난 질문을 (   )처럼 꺼냈다.

(6) 이제 동학군은 (   )되고 두령 전봉준도 체포됐다.

(7) 다은이는 거짓말을 (   )로 한다.

(8) 탐관의 (   )한 수탈에 시달리다.

(9) 서울시 경찰청은 조 씨를 (   ) 제작 및 배포 혐의로 구속하였다.

(10) 그는 양복 속주머니에서 집문서와 인감을 꺼내어 (   ) 계약서를 작성했다.

(11) 여러 가지 (   )으로 미루어 볼 때 그렇게 하는 것이 최선이다.

(12) 그는 적군을 도와준 사람으로 (   )의 혐의를 받고 있다.

(13) 그들은 나를 적으로 (   )라도 했는지 험악한 얼굴로 나를 위협했다.

(14) 숫자적인 (   )로 싸움에서 지다.

(15) 그 나라가 겪는 기아의 (   )은 우리의 상상을 넘는 것이었다.

<u>위에서 익힌 어휘 중 3개를 골라서 한 문장씩 만들어 봅시다.</u>

(1)

(2)

(3)

상식은
나의 힘

한국전쟁 당시 벌어진
민간인 학살 사건

한국전쟁 공식 기록을 보면 남한의 전사자는
국군과 유엔군을 합쳐 17만여 명이다.
그러나 놀랍게도 민간인 사망자는 100만 명에 이른다.
이 가운데 이승만 정부가 학살한 남측 양민의 수도 적지 않다.
한국전쟁 당시 벌어진 대표적인 민간인 학살 사건을 들여다보면
이 비극의 진상을 조금은 가늠할 수 있을 것이다.

① 거창 민간인 학살: 사흘간 주민 719명 학살, 희생자의 58% 어린이와 노인

1951년 2월 한국전쟁 당시, 경상남도 거창군 신원면에서 국군 제11사단 소속 군인들이 마을 주민을 집단 학살하는 사건이 벌어졌다. 당시 박영보 면장은 군부대장의 명령에 따라 주민들을 군경 가족과 비군경 가족으로 분류했다. 한국군은 비군경 가족 수백 명을 마을 뒷산으로 끌고 가 총살했다. 학살은 사흘 만에야 끝났다. 빨갱이 소탕을 위해서라고 내세웠지만, 현실은 처참했다.

사흘 동안의 학살로 모두 719명이 희생됐다. 이 중 60세 이상 노인이 59명, 14세 미만의 아이가 359명이었으며 심지어 젖먹이도 있었다. 더 끔찍한 것은 그 후 오랫동안 유족들은 아무 말도 하지 못 했다. 오랫동안 반공주의를 앞세운 권위주의 정부가 권력을 쥐고 있어서 다시 빨갱이로 몰릴까 봐 두려웠던 것. 이 사건은 10여 년이 지나도록 유골조차 수습하지 못한 채 방치됐고, 사건 발생 후 45년 만에야 처음으로 공식 위령제를 올릴 수 있었다. 1996년 '거창사건 등 관련자의 명예 회복에 관한 특별조치법'이 제정되었다.

② 미군이 저지른 전쟁범죄, 노근리 민간인 학살 사건

한국 전쟁 중이었던 1950년 7월 25일~7월 29일 사이, 미군 부대가 충청북도 영동군 황간면 노근리 경부선 철로와 쌍굴다리에서 폭격과 기관총으로 민간인을 학살했다. 피난민 속에 북한군이 침입해 있다는 주장이었다. 하지만 피해자 대부분은 여성과 어린이였다. 이 사건 역시 오랫동안 은폐되었다. 1960년, 노근리 사건 피해자 정은용 씨가 주한미군소청사무소에 손해배상과 공개사과를 요청하는 진정서를 제출했다. 그로부터 몇십 년이 흘러 민주정부가 수립된 이후인 1994년에야 노근리 미군 민간인 학살 대책위원회가 설립됐다. 대책위원회에서는 사망자 135명, 부상자 47명(총 182명)이 희생된 것을 확인했는데 400여 명의 희생자가 더 있을 것으로 추정하고 있다.

③ 보도연맹 사건, 20만 명 이상의 민간인을 학살하다

보도연맹은 이승만 정권 때 만든 극우 반공단체다. 1948년 국가보안법이 시행되면서 공산주의 확산을 막는다는 명분 아래 만들었고, 이듬해 30여만 명이 가입했다. 남로당원이었다가 전향한 사람들은 의무적으로 가입하게 돼 있었으며 주로 전향한 좌익 인사들이 가입했다. 하지만 정부에서 가입을 과하게 독려한 탓에 일반 농민과 중고교생도 가입했다.

그러다 한국전쟁이 터지자 국군과 헌병, 반공 극우단체 등은 보도연맹원이 인민군에 가담하거나 그들을 도울 수 있다며 이들을 전국적으로 학살했다. 보도연맹 사건은 희생자가 적어도 20만 명 남짓으로 추정되는, 남한 최대의 민간인 학살 사건이다. '추정되어'진다고 표현한 것은 오랫동안 대한민국 정부에서 철저히 사건을 은폐하고 금기시하면서 보도연맹이라는 존재 자체가 잊혀졌기 때문이다. 하지만 1990년대 말 전국 각지에서 보도연맹원 학살사건 피해자의 시체가 발굴되면서 보도연맹 사건이 실제 있었던 사건임이 확인되었다. 최근에도 진상 조사가 계속 이뤄지고 있다.

memo

3차시

'게으름뱅이 천국',
격렬하게 적극적으로 게으르고 싶은

인간 중심의 삶이 당연해보이지만, 르네상스 이전 시대에 세계의 중심은 인간이 아닌 신이었다.

브뢰헬의 작품을 통해 르네상스에 대해 알아보고

작품 속에 그 특징이 어떻게 담겨 있는지 감상해보자.

교과연계 중등 미술1, Ⅲ. 미술작품과 나누는 이야기, 2. 볼수록 빠져드는 미술

르네상스의 특징

르네상스는 14세기부터 16세기 사이 유럽에서 일어난 문예부흥 운동이다. 프랑스어로 '거듭(re-) 태어나다(nascere)' 란 뜻. 여기에서 '다시 태어난다'는 의미는 고대 그리스·로마 문명을 다시 회복한다는 뜻이다. 물론 유럽 문명이 다시 부흥한다는 의미도 있다.

일반적으로 르네상스는 중세의 낡은 가치가 무너지고 새로운 시대로의 진입을 알리는 신호탄으로 여겨진다. 르네상스 이전, 중세시대는 종교적 가치를 제일로 여기는 봉건사회였다. 이 시대엔 모든 것이 신 중심이었고, 기독교는 중세 유럽인의 일상생활에 절대적인 영향을 미쳤다. 기독교의 교리가 유일한 진리였고, 이것이 정치·학문·사상·예술 등 모든 분야의 기준이었다.

하지만 르네상스 시대에는 이러한 봉건제도와 중세 교회가 인간성의 발달을 왜곡한다며, 종교와 사회를 비판하는 성격이 강했다. 이 시기엔 인간을 중심으로 여기는 풍조가 두드러졌으며, 인간의 개성과 능력을 강조하고 인간의 지성과 덕성을 높이려는 *인문주의 사상이 문화 활동 전반에 큰 영향을 미쳤다.

영원한 도움의 성모

라파엘로 초원의 성모

그림을 보면서 좀 더 구체적으로 살펴보자. 두 작품 모두 성모상을 그렸다. 왼쪽은 중세에 그려진 작자미상의 그림이고 오른쪽은 라파엘로가 르네상스 시대에 그린 작품이다. .

왼쪽의 그림을 보자. 화려한 옷을 입은 성모 마리아가 아기 예수를 안고 있다. 성모 마리아는 엄격하고 견고해 보이지만 현실적이지 않고 뚜렷한 개성이 느껴지지 않는 여인의 이미지로 묘사돼 있다. 안겨 있는 아기 예수를 보니 실제 아기라기보다는 성인 남자의 모습을 축소해놓은 것처럼 보인다. 어떠한 감정도 표현돼 있지 않다.

반면 오른쪽 그림은 넓은 초원을 배경으로 성모 마리아가 아기 예수와 성요한을 데리고 있다. 애정이 넘치는 표정으로 이들을 지켜보는 성모 마리아의 표정이나 모습은 현실에 있는 사람의 모습과 닮았다. 아기 예수와 성요한 또한 통통하게 살이 오른 현실의 아기들 같다. 그림의 배경인 초원은 원근법을 사용해 입체감을 살렸고, 앞에 주제를 배치하여 시선이 자연스럽게 주체에 집중할 수 있게 그렸다.

똑같은 성모상이지만 중세시대에는 종교적인 주제를 표현하는데 중점을 두었고, 르네상스 시대에는 현실의 인간과 닮게 표현하고자 했다. 두 성모상을 비교해 보니, 르네상스 시대의 작품이 인간의 감정을 충실하게 표현하고 있음을 알 수 있다.

인문주의(人文主義, humanism)
인본주의라고도 한다. 신 중심에서 벗어나 인간의 존재를 중요시 하는 사상. 14~15세기 르네상스를 계기로 시작됐다. 인문주의는 인간 고유의 능력과 개성을 품고 있는 창조성을 중시한다. 그래서 창조성을 표출하는 예술ㆍ종교ㆍ철학ㆍ과학 같은 학문을 존중하고 창조성을 짓밟으려는 외부 압력(특히 종교)을 배척했다. 인문주의를 통해 인간의 존엄성이란 개념이 생겨나고, 신보다 인간을 먼저 생각하는 시대가 왔다.

'게으름뱅이 천국',
격렬하게 적극적으로
게으르고 싶은

먹고 죽은 귀신이 때깔도 곱다

지붕 위에 빵이 한가득 널려 있다. 하도 많아서 왠지 이중 한 개는 아래로 굴러떨어질 것 같다. 아니나 다를까 한 사람이 지붕 밑에 누워 입을 벌린 채 빵 떨어지길 기다리고 있다. 구워진 돼지가 제 등허리에 식칼을 꽂은 채 돌아다니는가 하면, 접시 위로 기어오르는 통닭도 있다. 마치 '날 잡아 드십사'하는 것 같다. 그림 한가운데에는 음식이 가득한 탁자가 놓여 있고, 그 아래 각계각층의 사람들이 벌렁 드러누워 음식이 저절로 제 입 속으로 떨어지길 기다린다. 옷이고 체면이고 다 내려놓은 채 '아무것도 안 하고 싶다'를 온몸으로 외치고 있다. 이것이 ⑤'게으름뱅이 천국'의 내용이다.

브뢰헬의 '게으름뱅이 천국'은 동명의 소설을 모티브로 한 것인데, 아이러니하게도 소설의 내용은 게으름을 꾸짖는 내용이라고 한다. 하지만 그림을 얼핏 봐서는 게으름을 꾸짖는 것인지 알 수 없다. 되려 게으름을 찬양하는 것으로도 보일 지경이다. 아무것도 안 하고 싶고, 게으른 모습이 부러운 건, 그만큼 일상이 고단하

게으름뱅이의 천국(1567)

기 때문인지도 모른다.

　지금으로서는 상상하기 어렵겠지만, [A] 16세기만 해도 독일을 비롯한 유럽 북서부 국가에서는 전쟁과 기아가 일상이었다. 한쪽에서는 찬란한 문화가 꽃피고 있었지만 다른 한편에서는 수많은 사람들이 죽어나갔다. 전쟁, 역병, 자연재해 등 이유는 널려 있었는데, 무엇보다도 종교의 이름 아래 죽어간 사람 수가 가장 많았다. 종교 개혁 광풍이 불면서 기득권을 포기하지 못 하는 가톨릭과 썩은 종교를 타파하겠다는 신교도 간의 피비린내 나는 싸움이 계속되었다.

　이렇게 언제 죽을지 모르는 상황이라면 죽을 때 죽더라도 배 터지게 먹고 취해 보는 게 소원이었을 것이다. 그림 속 누워 있는 사람들을 보면, 지위가 정말로 다양하다. 삶의 무게는 신분에 따라 달라질 수 있지만 죽음은 지위와 무관하다는 것을 말하고 싶었던 건 아닐까.

겨울 vs 여름, 색채의 마법

　브뢰헬의 그림은 당시의 시대상과 떼어서 설명하기 어렵다. 그러나 시대상에만 집중하면 브뢰헬 작품의 중요한 예술적 성취를 놓칠 위험이 있다. 다시 그림으로 돌아가 보자. 브뢰헬의 그림이 어둡다는 인상을 주는 근본적 원인은 색감에 있다.

　ⓒ르네상스 시대 그림의 특징은 '역동성'과 '인간미'이다. 세상의 중심이 신에서 인간으로 이동하면서, 그림에도 인간의 향취가 스며들기 시작한다. 인체에 생명력이 깃들었고, 얼굴 표정이 살아났다. 빛과 그림자가 생겼고 색감도 화려해졌다. 그래서일까. 이 시기의 그림들을 보면 인물이 먼저 눈에 들어오고, 배경은 눈에 잘 들어오지 않는다.

　인물이 살아가는 공간을 담는 장르인 풍경화는 브뢰헬이 막 활동하기 시작할 무렵 등장했다. 그림에 '배경'이 등장한 것은 르네상스 이전에도 있었지만, 이때의 배경은 종교화를 완성하기 위한 수단이었지 그 자체가 목적은 아니었다. 잘 알려지지 않았지만 브뢰헬은 풍경화의 역사에서 한 획을 그은 화가 중 하나다. 풍경화 하면 원근법 및 구도를 생각하기 쉽

눈 속의 사냥꾼(1565)   건초 만들기(1565)

지만, 그는 색채의 대비를 통해 배경을 효과적으로 묘사했다.

ⓒ'눈 속의 사냥꾼들'을 보자. 눈의 흰색과 빙판의 어두운 물색, 그리고 인물에 쓰인 검정색이 뚜렷이 대비되어 있다. 하늘은 빙판과 같은 색으로 회색에 가까운 어두운 물색이다. 멀리 빙판 위에서 노는 사람들도, 가까이에 보이는 사냥꾼과 사냥개도 전부 검정 톤이다. 표정을 읽을 수도 없거니와 생기도 전혀 느껴지지 않는다. 브뤼헬은 그림에서 흰색과 차가운 색의 대비를 통해 겨울의 근본적인 이미지인 황량함을 효과적으로 나타냈다.

반면 ⓓ'건초 만들기'에서는 계절뿐 아니라 분위기마저 다르다. 이 작품은 브뤼헬의 작품 중 드물게 분위기가 밝다. 데, 가장 먼저 산의 청록빛과 땅의 황색빛의 대비가 눈에 들어온다. 인물의 옷이나 광주리 속 열매가 간간이 빨간색을 띠면서 그림에 포인트를 주고 있다.

인간을 화폭에 담다

당대 화가들이 이탈리아에서 많이 배출되었던 건, 그 나라가 변화의 정점에 있었기 때문일지 모른다. 브뤼헬의 스승 역시 이탈리아의 화풍을 사랑해 브뤼헬을 포함한 제자들에게 화풍을 본받으라고 가르칠 정도였다. 하지만 브뤼헬은 이탈리아 화풍을 본받지 않겠다고 결심했다. 그 역시 스승처럼 이탈리아로 미술 여행을 다녀왔고, 이탈리아의 화풍에 호감을 가졌는데도 말이다. 브뢰헬은 그보다는 자신이 나고 자란 네덜란드 농촌의 삶을 꾸밈없이 표현하고자 했다.

브뢰헬이 작품 활동을 할 당시, 르네상스를 기점으로 '인간의 시대'에 접어들었다는 해도 그림의 소재는 신화와 성서를 완전히 벗어나지 못하고 있었다. 여전히 인간은 신을 가장 아름답게 표현하는 수단에 불과했던 것이다. 특히 식사는 인간의 가장 원초적인 행위라서 화가들이 무의식중에 기피하던 소재 중 하나였고, 따라서 사실적인 식사 장면을 그리는 일은 드물었다.

농가의 결혼식(1568)

하지만 브뢰헬은 그러한 ㉤금기를 깨고 인간 자체를 화폭에 담았으며, 먹고, 마시고, 춤추는 인간의 행위를 그려냈다. '게으름뱅이 천국' 역시 이 연장선에 있었다. 사회적 지위에 상관없이 배터지게 먹고 늘어져 자는 건 인간의 가장 원초적인 욕구이고 욕망이니까. 브뢰헬은 르네상스의 정신인 '인간 중심'을 앞장서서 실현한 작가였다.

피테르 브뢰헬(1525~1569)
네덜란드 왕조 브라반트 공국 출신의 화가. 1551년 화가 조합에 가입 후 이탈리아, 프랑스 등지에서 유학하였고, 민간 전설 및 속담, 당시 네덜란드에 대한 스페인의 압제, 농촌의 일상 등을 다룬 작품을 남겼다. 특히 네덜란드 농촌의 생활상을 사실적으로 묘사하여, '농민의 브뢰헬'이라는 애칭을 얻었다. 그의 독자적인 화풍은 북해 연안 지방의 회화에 영향을 미쳤다. 이후 아들 얀, 피테르도 그림을 그려 18세기까지 화가 가문으로 이름을 알렸다.

냉정하게
분석하기

제시글을 읽고, 질문에 답하며 내용을 파악해봅시다.

(1) 브뢰헬의 ㉠'게으름뱅이 천국' 작품이 담고 있는 시대의 모습을 [A]를 읽고 간략히
　정리해보세요.

(2) ㉡르네상스 시대 그림의 특징과 브뢰헬 그림의 특징을 비교하고 브뢰헬의 풍경화가
　가진 가치는 무엇인지 설명해보세요.

(3) ⓒ'눈 속의 사냥꾼들'과 ⓓ'건초 만들기' 작품 설명을 읽고, 자신의 느낌을 표현해보세요. 작품에서 두드러지게 나타나는 특징이나 감동은 무엇인가요?

----

(4) 브뤼헬이 화폭을 통해 깬 ⓔ금기 란 무엇인가요?

거침없이
쓰기

도전, 짧은 글쓰기!

피테르 브뢰헬의 '게으름뱅이 천국'을 소개하는 글을 작성해봅시다. 시대적 배경과 작가의 특징적인 성향이 드러나도록 글을 구성하고, 그의 작품 세계가 갖는 가치에 대해 정리해봅시다.(500자)

든든하게
어휘다지기

빈칸에 알맞은 말을 〈보기〉에서 찾아 적어봅시다.

| 보기 | 각계각층 | 기아 | 광풍 | 향취 | 호감 | 기피 | 금기 | 황량하다 |

(1) 전쟁으로 수많은 사람이 (　　　　)와 궁핍에 떨고 있다.

(2) 그는 발이 넓어서 (　　　　)의 사람들과 친분이 있다.

(3) 천주교를 믿던 그의 집안은 기해박해의 (　　　　) 속에서 풍비박산이 됐다.

(4) 아버지께서는 취나물의 쌉싸래한 (　　　　)를 특히 좋아하신다.

(5) 젊은 여성들의 농촌 생활 (　　　　)로 많은 농촌 청년들이 적령기에 결혼을 하지 못하는 사태가 벌어지고 있다.

(6) 저 들판에는 민숭민숭 나무도 하나 없이 너무 (　　　　).

(7) 회교도의 유명한 (　　　　)로는 돼지고기에 대한 것을 들 수 있다.

(8) 그녀는 인상이 선해 남게 (　　　　)을 준다.

위에서 익힌 어휘 중 3개를 골라서 한 문장씩 만들어 봅시다.

(1)

(2)

(3)

미술감상, 솔직하게, 그리고 깊이 있게!

'눈에 보이지 않는 것을 그림으로 표현할 수도 있다. 세간의 고정관념 때문에 인정받지 못하던 작품이 후에 세상을 뒤바꾸는 계기가 될 수 있다. 관점에 따라 다양하게 보인다. 아름다움은 다양하다. 우리는 모두 독창적이고 각자 나름의 소질을 지니고 있다.'

모두 멋진 말들인데 가만히 듣다 보면 '그러면 타인의 예술을 절대로 비판해서는 안 되는 게 아닐까?' 하는 생각이 든다. 소위 표현의 자유가 있고, 각자만의 생각이 있는 거니까. 하지만 그렇지 않다. 작가의 솔직한 예술적 표현이 중요한 만큼 보는 사람의 솔직한 감상 표현도 중요하기 때문에 비판 또한 자유로워야 하고, 작가의 생각이 작품으로 표현되는 순간 그것은 현실의 것이 되기에 작가에게는 현실적 책임이 있기 때문이다. 타인의 권리를 침해하거나 사회에 해를 끼치는 예술 작품에 대해서는 누구나 단호하게 '이런 것까지 표현의 자유로 허용되어서는 안 돼!' 하고 의사를 밝힐 수 있어야 한다. 정말 어려운 것은 무엇이 타인의 권리를 침해하는 것이고 사회에 해를 끼치는 것인가 판별하는 일이다. 이는 정의와 관련되어 있는데, 무엇이 정의로운 작품이고 무엇이 그렇지 않은 작품인가 판단하려면 작품을 둘러싼 여러 배경을 파악해야 하기 때문이다.

1863년, 에두아르 모네는 성노동자의 나체를 그린 '올랭피아'라는 작품을 발표했다. 이 작품은 발표 당시 엄청난 비판을 받았다. 왜냐하면 미술 작품에 등장하는 여성의 나체는 대부분 여신이나 신화적 상징이 있던 인물이었다. 따라서 성노동자를 그린 모네의 작품은 비도덕적이라고 여겼다. 하지만 오늘날 모네의 그림은 기존의 누드화에 담긴 남성중심적

시선을 꼬집은 혁명적인 그림으로 평가받는다. 여성의 몸에 대한 사회적 억압에 대해 각성하고, 그것을 반성하는 역사적 흐름이 일자, 여성의 몸은 성스러운 것도, 더러운 것도, 남성 욕망의 대상도 아닌, 그것을 소유한 여성의 것으로 받아들여지게 되었기 때문이다.

모네의 그림을 부도덕하다고 비판한 사람들처럼 되지 않으려면 작품을 감상하는 나 자신이 고정관념과 사회적 선입견에 물들어 있는 것은 아닌지 계속 되물어야 한다. 솔직하게 비판하되 깊이 있게 생각하는 것, 그것이 예술 비평의 핵심 아닐까?《똑같은 빨강은 없다》라는 책에서 선생님의 미술 수업은 이렇게 마무리된다.

"미술 작품을 올바르게 감상하기 위해서는 무엇보다 자신의 솔직한 느낌을 말할 수 있어야 하고, 작가의 창조적 생각을 겸손하게 받아들일 줄 아는 자세도 필요할 것 같아요. 내 생각만 주장하지 말고 그 시대와 작가에 대해서도 이해하려는 열린 마음을 가져야겠어요. 예술은 공감으로 완성되는 거니까요."

"그래, 마음을 열고 다가서는 사람만이 미술이 안내하는 새로운 세계를 만날 수 있을 거야. 새로운 세계를 만나는 즐거움을 보라도 꼭 누렸으면 좋겠다. 그럼 오늘의 미술 수업은 여기서 끝!"

– 월간 〈유레카〉 444호, '《똑같은 빨강은 없다》, 교과서에 다 담지 못한 미술 이야기'에서 발췌'

인권

4차시

우리나라도 난민을
받아들여야 할까?

내전, 영토 분쟁 등 다양한 이유로 전 세계적으로 난민이 폭발적으로 늘고 있다.

국제사회는 이들의 거취를 두고 골치가 아프다. 그렇다면 우리나라는 어떨까?

선진국 반열에 오른 우리도 난민을 받아들여야 할까?

교과연계 중등 도덕1, Ⅲ. 사회 · 공동체와의 관계 1. 인간존중

세계의 난민 정책

● **독일** : 난민 친화적인 정책을 펼치는 국가 중 하나. 2015년 독일은 전쟁 피해자인 시리아 난민을 무한정으로 수용하겠다고 선언했고, 현재까지 130만 명 이상 난민을 받아들였다. 그러나 2016년 쾰른에서 이민·난민자들이 독일 여성들을 집단 성추행한 사건이 터지자 난민 수용을 반대하는 여론이 힘을 얻었다. 2018년 7월, 메르켈 정부는 다른 국가에서 망명신청을 한 적이 있는 난민을 그 나라로 송환하는 법안에 합의했다. 같은 해 8월에는 현재 독일에 거주하는 난민의 가족을 이전에는 무한정 받았으나, 앞으로는 매달 1000명씩만 제한적으로 입국시키겠다는 정책을 통과시켰다.

● **프랑스** : 난민 수용 정책에 우호적이지 않다. 2015년 아일란 쿠르디 사진으로 난민 우호 정책 물결이 전 세계에 퍼졌지만, 프랑스는 '우리는 모든 난민을 수용할 수 없다'는 입장을 고수했다. 일단 프랑스의 난민 신청 서류는 프랑스어로만 작성할 수 있다. 또 난민 신청 절차를 시작하려면 프랑스 내 주소가 있어야 하는데, 주소는 난민 지위가 인정되어야 얻을 수 있다. 이런 상황이라 난민들은 프랑스 이주를 꺼린다. 그리고 프랑스에서 난민으로 인정받으면 9개월간 취업이 금지돼 생계 유지가 어려운 실정.

● **영국** : 제한적 수용 입장. 2015년 아일란 쿠르디의 죽음으로 영국 정부는 2020년까지 시리아, 요르단, 터키 등의 난민 캠프에서 지내는 이들 중 2만 명을 영국으로 이주시킬 계획이라고 발표했다. 이 말은 영국으로 직접 오는 난민은 환영하지 않는다는 뜻. 한편 영국 내 반(反)난민 정서가 높아진 것은 브렉시트 찬성표가 반대표를 앞지르게 된 원인으로도 작용했다.

● **이탈리아** : 난민들이 유럽으로 오기 위해 항해할 때, 출입구로 가장 적절한 위치에 있다. 2013년도까지 70만 명 이상 난민을 받아들였다. 그러나 점차 난민 수용에 부정적인 태도를 취하기 시작했다. 유럽연합 연구소에서 2018년도에 조사한 결과에 따르면, 이탈리아 내 범죄율 상승이 난민 때문이라고 답한 국민 비율이 74%다. 2017년 3월 우익 정당인 '동맹'이 총선에서 승리하며 반난민 정책을 펴기 시작했다. 2019년 3월 2일 이탈리아

밀라노에서 정부의 반난민 정책을 비판하는 시위가 열렸다. 3월 9일, 정부는 이탈리아 남부 난민 판자촌을 기어코 철거했고 약 1000명의 난민이 쫓겨났다.

● 그리스 : 그리스 역시 난민이 들어오기 좋은 위치에 있어서 난민들이 유럽 입국 초기에 정착하는 나라이다. 입국 후 서유럽이나 북유럽 쪽으로 옮겨가는 경우가 많아 그리스를 통해 유럽으로 건너간 이주자는 100만 명 이상으로 추정된다. 하지만 그리스 본토에 머무는 난민은 10만 명 이하. 이탈리아보다는 난민에게 호의적인 정책을 시행 중이지만 곳곳에서 크고 작은 난민 찬반 집회가 열리는 실정이다. 한편 난민 유입 속도가 빨라 현재 난민 캠프는 열악한 상황이다. 수용 가능 인원이 6000명 정도인데 약 3배에 달하는 1만 8000여 명이 하루하루 버티며 생활하고 있다. 이에 유럽연합 집행위원회는 15억 유로를 그리스에 난민 보조금으로 지원했고, 난민 거주용으로 2만 3000여 채의 집을 건설하는 프로젝트를 도왔다.

● 스페인 : 난민 친화적인 정책을 펴고 있다. 2018년 집권한 사회노동당 정부는 난민 구조선을 운영, 적극적으로 난민을 받아들이고 있다. 2018년 6월엔 이탈리아와 몰타에서 입국거부를 당해 바다를 떠돌 위기에 처했던 난민 600여 명을 구조했다. 2018년에만 5만 명 넘는 난민이 입국했고 바르셀로나 광장에선 난민 환영 시위가 열리기도 했다. 광장에 모인 시민 16만 명은 난민을 더 받아들일 것을 정부에 요구했다.

● 헝가리 : 난민 수용 반대국. 대부분 동유럽 국가는 난민을 받아들이지 않는다. 2015년 헝가리는 난민 입국을 막기 위해 세르비아와의 국경선에 철조망을 설치했다. 또한 독일과 오스트리아로부터 넘어오는 난민을 막기 위해 국경 통제를 실시 중이다. 2015년에는 크로아티아에서 넘어온 난민을 버스에 태워 오스트리아에 내려주어 논란이 됐다. 2018년에는 난민을 도우면 징역형에 처하는 법안이 시행되었다.

● 터키 : 2015년까지만 해도 시리아 난민에게 우호적이었다. 그 시기 350만 명이 넘는 난민이 터키로 이주했다. 하지만 2016년부터 난민 유입을 막고 있다. 국경을 넘다가 총

격에 맞아 숨진 시리아 난민이 42명. 이러한 태도 변화에는 유럽연합과의 거래가 숨어있다. 유럽연합측은 난민을 많이 받아들이는 터키에 약 30억 유로를 지원했다. 이 돈은 터키 내 난민들의 처우를 개선하는 데 쓰여야 했지만 실상은 달랐다. 터키는 1800만 유로를 국경 감시 체제를 강화하는 데 사용했고 유럽연합측은 이를 묵인했다.

● 레바논 : 시리아와 국경을 맞대고 있어서 자연히 시리아 난민이 대거 이주했다. 현재 레바논에 거주하는 시리아 난민은 100만 명 이상으로 추정된다. 레바논 국민이 500만 명이므로 인구수의 약 5분의 1이 난민인 셈. 레바논 정부는 난민촌을 운영하지 않아 시리아 난민들은 쓰레기장이나 주차장에서 열악한 생활을 이어나가는 중이다. 난민 사회 문제가 커지자 레바논 정부는 국경 통제를 강화하고, 13개 시에서 난민 1만 명을 강제 퇴거시켰다.

● 파키스탄 : 아프가니스탄과 방글라데시 난민이 다수 거주하고 있다. 공식적으로 알려진 난민 수는 140만 명이지만, 집계되지 않은 난민이 추가로 100만 명이 더 있을 것으로 예상된다. 2016년 파키스탄 정부는 미등록 난민을 본국으로 강제 송환하는 정책을 폈다. 하지만 그 후에 미등록 난민이 자발적으로 본국으로 귀환하는 경우가 많아지자 최근 친(親)난민 정책을 펴는 중이다. 임란 칸 파키스탄 총리는 2018년 9월 파키스탄에서 출생한 난민들에게 시민권을 부여하겠다고 언급하며 난민 우호적인 정책이 계속될 것임을 예고했다.

● 우간다 : 적극적 난민 수용국가. 국경 단속을 하지 않아 인접한 남수단과 콩고에서 140만 명이 넘는 난민이 들어온 것으로 추산된다. 우간다 역시 내전으로 이웃 국가에 난민 신세로 대피한 경험이 있기 때문에 난민 후원 의지가 강한 것으로 보인다. 우간다는 난민 수용에 그치지 않고 경작할 토지를 제공하거나 주거 시설을 마련해주고, 정착촌에 학교를 짓고 의료시설을 설립하는 등 난민들의 자립을 돕고 있다. 우간다의 친난민 정책은 아프리카를 하나로 묶겠다는 범아프리카주의를 정치적 신념으로 가졌던 독재자 요웨리 무세베니 대통령의 영향을 받아서이기도 하다.

배경 지식

- **캐나다** : 적극적으로 난민을 받아들이고 있다. 2015년 당선된 저스틴 트뤼도 총리는 난민 2만 5000명 수용을 공약으로 내세웠다. 캐나다 거주 난민 수는 대략 5만 명으로, 공약의 두 배를 넘겼다. 그러나 정부의 지원을 받아 입국한 난민은 교육 수준이 낮아 10%밖에 직업을 얻지 못한 것으로 밝혀졌다.

- **미국** : 반난민 정책을 선도하는 국가 중 하나. 2017년 미국의 난민 수용 인원 상한은 11만 명이었지만, 트럼프 정권이 들어서면서 2018년에는 4만 5000명까지 떨어졌다. 2019년 미국 정부는 상한선을 3만 명으로 거듭 축소했는데, 이는 역대 최소치다. 또한 이슬람권 5개국(시리아, 이란, 예멘, 소말리아, 리비아) 국적 소유자의 미국 입국을 제한하는 법안이 연방대법원에서 합헌 판결을 받아 시행된다.

- **중국** : "시리아 내전에 책임이 있는 서방국가들이 난민을 책임져야 한다"는 것이 중국의 기본 입장이다. 하지만 유엔에서 난민으로 인정한 795명이 중국으로 들어오면서 중국도 난민 문제에 대한 정책을 내놓아야 할 때가 왔다. 중국 정부는 난민의 임시 거주는 허락했지만 이들을 정식으로 난민으로 인정하지는 않고 있다. 2018년 6월 중국의 SNS인 웨이보에서 일주일 동안 난민 수용에 대한 찬반 의견을 물었다. 응답자 8800명 중 97.7%가 난민 수용에 반대한다고 말했다.

- **일본** : 일본은 국제 난민기구에 6500만 달러를 원조했다. 세계에서 네 번째로 많은 액수. 그러나 난민 수용에는 인색하다. 2017년 일본에 난민 신청을 한 사람은 2만 명에 달했지만, 실제 난민으로 인정받은 사람은 20명에 불과했다. 일본은 아시아 국가 중 난민들이 제일 선호하는 나라이지만 체류 신청을 한 사람 중 난민으로 인정받는 비율은 0.18%에 불과하다.

우리나라도 난민을
받아들여야 할까?

읽을거리 ①

제주, 예멘 난민신청 급증 골머리 난민 문제 놓고 갑론을박

제주도가 예멘인 난민 신청이 급증해 [A]골머리를 앓고 있다. 제주도 출입국·외국인청에 따르면 2018년 들어 561명의 예멘인이 내전을 피해 제주에 입국했는데 이들 중 519명이 난민 신청을 했다. 2017년까지 ㉠예멘 난민 신청인은 42명. 5개월여만에 열두 배 이상 증가한 셈이다.

제주에 예멘인 수백 명이 입국한 것은 2018년이 처음이다. 국제자유도시를 표방한 제주는 외국인 관광객들에게 문호를 개방하기 위해 무사증 입국 제도를 도입한 지 15년이 됐다. 무사증 입국 제도란 사증(비자) 없이 입국할 수 있다는 뜻. 수백 명의 예멘인이 제주에 입국한 것은 2018년 처음 있는 일로, 2017년 12월 제주와 말레이시아 간 직항노선이 계기가 됐다.

[B]아라비아반도 남서부에 있는 예멘은 중동의 가난한 나라다. 예멘은 수년간 내전을 겪고 있는데, 2014년 9월, 이슬람 시아파 반군 '후티'가 수도 사나를 점령하면서 본격화했다. 내전으로 주요 도시와 기반 시설이 파괴되는 한편, 계속된 폭격으로 예멘에서는 수만 명이 목숨을 잃었다. 고국을 떠난 예멘인은 우선 비자 없이 90일 동안 체류가 가능한 말레이시아로 탈출했다가, 체류 기한이 연장되지 않자 직항편을 이용, 제주로 온 것. 제주 역시 비

자 없이 30일간 체류가 가능하다.

　이들 예멘인은 무비자 체류 기간 30일 동안은 제주도 내에서 자유롭게 생활할 수 있다. 그리고 30일이 지난 후에는 난민 신청을 하면 체류에 문제가 없다. 난민법에 따르면 난민 신청자들은 난민 인정 여부가 확정될 때까지 국내 체류가 허용된다. 우리나라 난민법에 의하면 생계비 등을 지원할 수 있고(제40조 제1항), 난민인정 신청일부터 6개월이 지나면 취업을 허가할 수 있다.

　현재 대부분의 예멘 난민들이 돈이 떨어져 생계 곤란을 겪고 있다. 국가인권위원회와 시민단체 등은 2018년 6월 1일 이들에 대한 의료 · 생계 지원을 촉구했다. 또한 제주출입국 · 외국인청은 난민 인정 후 6개월 지나야 취업할 수 있지만, 이 기한과 상관없이 제주도 내 일자리 부족 업종에서 예멘 난민 신청자의 취업을 지원하기로 했다. 그러나 예멘인의 난민신청에 반대하는 목소리도 높다. 난민 신청 허가를 폐지하자는 청와대 ⓒ국민청원이 올라온 지 5일 만인 2018년 6월 18일까지 22만 명 이상의 동의를 얻었다. 또한 SNS 등에 이들 난민에 대한 무슬림 혐오도 급증하고 있는 상황. 한편 6월 초 정부는 '난민 수용 거부 청원'에 앞서 예멘을 제주도 무사증 입국 금지국가로 지정해 예멘인의 추가 입국을 막고, 이미 들어온 예멘인의 거주지를 제주도로 제한했다. 제주 예멘 난민에 대한 대책 마련이 시급한 상황이다. (2018년 7월)

Focus Plus

01 예멘 내전, 끝나지 않은 비극

　예멘은 중동의 최빈국에 속한다. 2011년 예민은 민주화 시위를 거쳐 독재자 알리 압둘라 살레를 하야하면서 미래에 대한 희망의 꽃을 피웠다. 하지만 오랫동안의 철권 통치는 호락

호락하지 않았다. 2014년 시아파 반군 후티가 예멘 수도로 진입했을 때, 정부군은 이를 저지할 전투력도 없었고, 심지어 일부 장교들은 후티 반군을 환영했다.

후티는 마침내 쿠데타로 정부를 손에 넣었다. 예멘 내전은 이제 더욱더 복잡한 양상을 띠게 된다. 예멘 반군 후티는 이란과 우호적이다. 그러자 이번에는 사우디아라비아가 주도적으로 아랍동맹군을 꾸려서 군사개입을 시작한다. 아랍동맹군의 군사력은 압도적 우위에 있었지만 반군 후티가 끈질기게 저항, 내전은 장기화하고 있다. 그야말로 중동 내 패권 경쟁에 가난한 나라 예멘에서 장기적으로 벌어지고 있는 상황이다. 이 틈에서 계속된 유혈 사태로 예민인들은 수만 명이 죽거나 죽음의 위협 속에서 살아가고 있으며, 기간시설이 전부 파괴돼 정상적 삶을 유지할 수 없는 지경이다. 설상가상 전염병마저 돌아 금세기 최악의 비극이 예멘 땅에 드리운 것. 제주도로 흘러들어온 예멘 청년들 대부분은 반군으로 차출을 피해 온 것으로 전해진다. 그들이 돌아가야 할 곳은 죽음의 땅인 셈이다.

02 예멘 난민 수용 거부, 청와대 청원 봇물

제주는 누구나 알다시피 섬이다. 더구나 한국은 다민족 국가가 아니다. 몇 개월 사이에 갑작스럽게 수백 명의 난민들이 쏟아져 들어왔을 때 제주 도민이 느꼈을 불안과 두려움은 어느 정도 짐작이 가능하다. 이에 정부는 예민 무사증 입국을 불허하는 조치를 취한 상황이다. 그렇다면 이미 제주에 있는 500여 명의 예멘 난민은 어떻게 해야 할까?

제주 예멘 난민 거부 청원이 수십 개 올라와 있는 상황이다. 그리고 며칠 새에 20만 명이 동의한 청원도 있다. 죽음의 땅을 탈출한 이들을 돌려보내야 할까? 또 하나, SNS에는 예멘 난민과 관련해 무슬림 혐오가 폭증하고 있다. 이 안에는 이들을 잠재적 성범죄자로 보는 시각도 있다.

일자리를 비롯한 현실적 문제가 있을 수 있다. 하지만 무조건 돌려보낼 수는 없다. 각국에 난민법이 있는 이유를 ⓒ인류애적 차원에서 숙고해야 한다.

유엔난민기구는 "예멘인은 물론, 한국에 도착하는 모든 난민 및 난민신청자와 관련하여 대한민국 정부를 조력할 준비"되어 있으며, "심각한 인도주의적 위기에 처한 예멘으로 그 어떤 예멘인도 강제송환 되어서는 안 된다는 것이 유엔난민기구의 단호한 입장"이라고 밝혔다.

읽을거리 ②
유럽연합, 사상 최대의 난민 사태에 우왕좌왕

　난민이 폭발적으로 늘고 있다. 2014년 시리아 내전 이후 더욱 심각해졌다. 중동과 아프리카 난민들은 주로 지중해를 건너 이탈리아로 들어오거나, 터키를 통해 그리스로 입국하거나, 발칸반도에서 헝가리를 통과하여 유럽으로 향한다. 2014년 유럽으로 유입된 난민 수는 약 28만 3500명으로, 전년 대비 264.1% 증가했다. 유럽연합은 당황했고, 영국과 프랑스 등은 난민 수를 제한하는 법을 발표했다. 그러나 이듬해 터키 해변에서 세 살 터키 꼬마 아일란 쿠르디 주검이 발견되면서 유럽은 인도적 차원에서 난민을 받아들이기 시작했다. 2018년까지 유럽에 유입된 난민은 270만 명 이상일 것으로 추정된다. 난민 이동은 현재진행형이다.

　유럽 사회는 ㉣난민 문제로 골머리를 앓고 있다. 시리아, 아프가니스탄, 남수단, 소말리아 등 중동과 아프리카 나라들에서 전체 난민의 3분의 2가 발생하는데, 이들 지역 갈등의 뿌리를 캐보면 유럽 제국주의 시절의 지배와 맞닿아 있어 역사적 책임감을 느낀다. 그러나 갑작스런 난민 유입으로 복지비용과 범죄 문제뿐 아니라 난민 속에 섞여 있는 이슬람 원리주의자 때문에 골치를 썩이고 있다. 유럽사회 전체가 난민 사태로 우왕좌왕하는 실정이다.

　먼저 *쉥겐협정 유지가 흔들리고 있다. 난민이 유럽에 입국한 뒤에 여러 나라를 국경 검사 없이 마음대로 돌아다니게 된다면 그들의 동향을 예측하기 어려워 문제가 되기 때문이다. 헝가리 등 난민에게 우호적이지 않은 몇몇 국가가 국경 감시를 부활시키며 갈등을 빚었다. 더블린 조약(난민이 입국한 국가에서 난민 여행증명서를 발급하고 그들을 책임진다는 조약)도 논란이 되고 있다. 유럽연합은 난민을 나라의 능력에 맞게 골고루 나누어 받자는 난민할당제를 추진하는 중이며 이탈리아, 그리스, 헝가리 등 난민 주요 유입국에 자금을 지원하며 그들을 달래는 상황이다.

난민 유입을 찬성하는 나라들과 반대하는 나라들 사이에 신경전도 계속되고 있다. 독일과 스웨덴은 난민을 환영한다. 줄어든 인구수를 채울 수 있을 뿐만 아니라 난민 유입으로 인해 GDP가 0.25퍼센트 정도 상승할 것으로 예측되기 때문이다. 반면 체코, 헝가리, 폴란드 등에서는 난민 보호 서비스 비용을 대느라 국가 경제에 부담이 간다며 난민 유입을 꺼리고 있다. 난민 유입을 반대하는 나라들은 난민할당제도 탐탁지 않아 한다. 이에 난민 유입을 찬성하는 나라들은 유럽연합이 다 같이 난민을 책임져야 한다며 반론하고 있다.

쉥겐 협정
1995년 룩셈부르크의 쉥겐에서 발효되었으며 유럽 내에서 국경 검문 없이 자유로운 이동을 보장하는 협정이다. 유럽연합 28개 회원국 중엔 불가리아, 크로아티아, 키프로스, 아일랜드, 루마니아와 영국을 제외한 22개 회원국이 참여하며 유럽연합이 아닌 아이슬란드, 노르웨이, 스위스, 리히텐슈타인도 쉥겐협정에 참여하고 있다.

memo

냉정하게
분석하기

제시글을 읽고, 질문에 답하며 내용을 파악해봅시다.

(1) 제주가 예멘 난민 신청으로 겪고 있는 문제는 무엇인지 [A]골머리를 앓고 있다의 관
용구를 사용하여 설명해보세요.

----

(2) 우리나라 난민법이 있는데도 제주에서 난민 신청 허가를 폐지하자는 ⓛ국민청원을
올린 이유는 무엇인가요?

----

(3) ㉠의 이유를 [B]에서 찾아 간략히 설명해봅시다.

(4) 유럽 사회 또한 ㉣난민 문제로 골머리를 앓고 있는데, 그 이유를 구체적으로 적어보고, 유럽 연합이 취하고 있는 정책은 ㉢의 차원에서 바람직한지 평가해봅시다.

도전, 짧은 글쓰기!

2014년 시리아 내전 이후 난민 증가가 세계적인 문제가 되고 있는 와중에 우리나라가 직면한 문제는 무엇이며, 난민의 유입을 반대하는 입장과 찬성하는 입장을 표명하는 국가들을 통해 난민 유입에 따른 범국가적 과제는 무엇일지 의견을 밝혀봅시다. (500자)

든든하게 **어휘다지기**

다음 빈칸에 알맞은 말을 〈보기〉에서 찾아 적어봅시다.

보기	하야	철권통치	설상가상	차출	주검
	추정	우왕좌왕	동향	탐탁	조력

(1) 시간도 없는데 (   )으로 길까지 막혔다.

(2) 우리나라에도 일명 (   )라 불리는 독재 정권의 시대가 있었다.

(3) 비상벨이 울리자 건물 안 사람들은 (   )하였다.

(4) 그 과학자는 자신의 (   )을 뒷받침하는 몇 가지 가설을 제시했다.

(5) 히말라야 원정대로 떠났던 사람들은 결국 싸늘한 (   )으로 발견되었다.

(6) 선발 선수의 부상으로 대표 선수의 (   )이 일주일 이상 늦어지고 있다.

(7) 시위대의 끈질긴 압박에 굴복하여 결국 대통령이 (   ) 성명을 발표하였다.

(8) 그 사람의 (   )을 낱낱이 파악하여 수시로 보고하도록 하라.

(9) 나는 그의 일솜씨가 그리 (   )하지 않았다.

(10) 누구든지 체포 또는 구속의 이유와 변호인의 (   )을 받을 권리가 있다.

위에서 익힌 어휘 중 3개를 골라서 한 문장씩 만들어 봅시다.

(1)

(2)

(3)

난민,
'세계는 하나'라는 거짓말

01 난민, 자신의 권리를 찾아나선 용감한 사람들

난민 캠페인에 앞장선 배우 정우성, 제주에 찾아온 예멘 난민이 화제에 오르며 난민에 대한 국민의 관심이 높아졌다. 하지만 정작 난민이 어떤 사람들을 말하는지 아는 사람은 별로 없다.

난민의 국제법적 지위와 관련한 중요한 토대는 난민협약(1951년)과 난민의정서(1967년)다. 난민협약은 2차 대전 후 발발한 난민의 지위를 위한 것으로, 난민 발생 시기를 '1951년 1월 1일 이전'이라고 규정한다. 난민협약에 의하면 난민은 '인종, 종교, 민족 또는 특정 사회 집단의 구성원 신분 또는 정치적 의견을 이유로 박해를 받을 우려가 있다는 충분한 근거가 있는 공포로 인하여 자신의 국적국 밖에 있는 자로서, 그 국적국의 보호를 받을 수 없거나 또는 그러한 공포로 인하여 국적국의 보호를 받는 것을 원하지 아니하는 자'이다.

난민협약에 따르면 '국적국에 의해 탄압받는 사람'이 난민의 주요 요건이다. 국적국(국적을 둔 나라)이 국민을 의도적으로 억압하지는 않았지만 전쟁이 발발해 살길을 찾아 대피한 경우는 난민으로 인정받지 못한다는 말이다.

난민의정서는 난민협약보다 협약국가 수는 늘었고, 시간적 제한은 없앴다. 난민 승인 자격은 지금까지도 계속 논의되고 있는데 다음 두 경우는 난민에 속한다고 국제적으로 승인하고 있다. '피부색으로 인한 차별(1966년)', '외부로부터의 침략, 점령, 외국의 지배, 혹은 공공질서를 현저히 교란하는 사태로 인해 자신의 나라를 떠나야만 했던 사람들(1969년)'. 하지만 이 문구는 여러 가지 면에서 해석이 모호해 난민의 법적 지위와 관련해 여전히 논란이 많다.

현재 전 세계 난민 수는 2차 대전 당시보다 많다. 또한 난민들이 처한 상황은 과거보다 훨씬 다양하므로 이를 고려해야 한다는 목소리가 커지고 있다. 국제법상 정식으로 난민 개념에 포함되지는 않지만, 경제적인 이유나 자연 재해, 환경적인 문제로 난민이나 다름없는 생활을 하는 '사실상 난민'도 존재한다.

우리는 난민이라고 하면 가난하고 무질서한 모습과 참혹한 난민 캠프만을 떠올린다. 난민에 대한 가장 보편적이고 단순한 정의는 뭘까. 조국이 자신의 생명을 더 이상 보호해주지 않아 어쩔 수 없이 떠난 사람들이 아닐까. 이들 난민은 결코 동정의 대상이 아니다. 자유와 생명과 인권을 찾기 위해 목숨을 걸고 행동에 나선 용감한 사람들이다. 난민 문제 해결을 위해 우리가 가장 염두에 둬야 할 것은 바로 이 단순한 사실이다.

02 난민촌, 희망의 등대는 보이지 않아

어떤 곳에 몇 명이 얼마나 열악한 환경에서 살아가는지 구체적으로 거론하지 않아도 난민촌의 난민들 삶은 충분히 짐작된다. 음식과 물, 전기, 화장실, 목욕실이 충분하지 않은, 환기 안 되는 창고나 공장 건물에서 집단으로 거주하는 경우는 물론, 잠잘 수 있는 천막 외에 아무것도 없는 경우도 많다. 건강을 위협하는 위생상태, 난무하는 폭력과 성희롱, 심각한 과밀화…. 시리아 난민촌에서는 IS의 살인 폭력도 심심찮게 일어나고, 겨울이면 아이들이 얼어죽는 일도 발생한다. 생명과 자유를 찾아 고국에서 도망쳐왔지만, 그들이 가장 먼저 닿는 곳은 감옥 같은, 아니 감옥보다 못한 난민촌이다.

더구나 점차 난민 수가 늘어나면서 세계 곳곳의 난민촌 거주환경은 악화되고 있는 실정이다. 유엔난민기구에 따르면 2018년 8월 그리스 레스보스 난민촌의 경우 수용 가능한 인원은 2000명인데 7000명을 수용 중이라고 밝혔다. 이 레스보스 섬은 유럽으로 가려는 중동의 난민들이 첫 입국지로 선호하는 곳이다. 한편 아프리카 남수단의 수십만 명의 난민들은 상시적으로 심각한 식량난에 허덕이고 있다. 종종 난민촌 지역에서 유혈사태가 벌어져 구호의 손길조차 닿기가 어려울 때가 많기 때문이다. 로힝야 난민촌의 경우는 자연재해로 인해 상황이 더 참혹하다. 우기 때 극심한 폭우가 계속되면 길들이 무서운 습지대로 돌변해 물이나 식량을 구하러 가거나 화장실조차 가기 어려운 상황에 빠진다.

프랑스의 인권 옴부즈맨은 보고서를 통해 프랑스 내 불법 난민촌의 보건, 인권 환경이 "사상 유례 없을 정도로 처참한 상황"이며 "먹고 마시고 씻는 생리적 요구조차 충족하기 힘든 심각한 환경에 내몰려 있다"며 정부 대책을 요구했다.

세계 곳곳의 난민촌들은 조금씩 다른 상황에 처해 있겠지만 공통적으로 인간다운 삶이 불가능한 조건에 처한 경우가 태반이다. 더 큰 문제는 5살 미만의 어린아이, 임산부, 노인 등의 약자와 여성들이 수적으로 많다는 점이다. 열악한 환경에 노출되었을 때 한결 취약할 수밖에 없는 이들이다. 또 하나는 식량, 물, 의료 등 긴급 구조가 필요한데도 열악한 도로 조건, 기상상태, 유혈사태 등으로 구조의 손길이 닿기도 어려운 실정이라는 것이다. 난민, 그들의 삶을 들여다볼수록 '세계는 하나'라는 말이 새빨간 거짓말임을 뼈저리게 느끼게 된다.

memo

〈구해줘, 글쓰기〉, 어떻게 사용하나요?

학생들은…
STEP1 '야무지게 읽기'에 실린 4개의 제시문을 읽습니다.
STEP2 '냉정하게 분석하기'의 질문에 답합니다.
제시문 내용을 확인하는 질문입니다.
답을 하다 보면 정확한 독해 능력이 길러질 거예요.
STEP3 '거침없이 쓰기'에서 짧은 글쓰기를 해봅니다.
위에서 써 본 답을 토대로 하면 500자 글쓰기를 술술~~

선생님·학부모는…
▶ www.ezpen.co.kr에서 답안지를 다운받을 수 있습니다.
  (상단 메뉴 '커뮤니티–글쓰기 가이드', 비밀번호 : ezpen_acdemy02)
▶ 글쓰기 실력 향상을 위해 www.ezpen.co.kr에서 첨삭 서비스를 받아보세요!
  (홈페이지 회원 가입시 첨삭 1회권 50% 할인)

문의 02-558-1844, 02-322-1848 / ezpen.co.kr@gmail.com

공부방, 학원, 학교 동아리에서 〈구해줘, 글쓰기〉로
글쓰기 수업을 하고자 하는 선생님들은 문의 바랍니다.
단체의 경우 수업지도안을 제공합니다.
문의 02 558 1844 / 02 322 1848

COUPON

EZPEN-A6M1

쿠폰 유효 기간 6월 30일까지
이지펜 콘텐츠 구독, 한달 무료